Les plus belles histoires pour les enfants de 5 ans

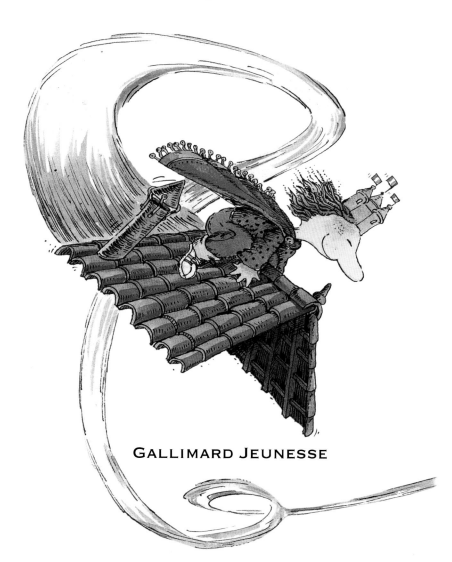

GALLIMARD JEUNESSE

Coordination éditoriale : Alice Liège
Maquette : Laure Massin

ISBN : 978-2-07-065512-0
© Gallimard Jeunesse 2013, pour cette anthologie
Numéro d'édition : 254456
Loi n° 49-956 du 16 juillet 1949
sur les publications destinées à la jeunesse
Dépôt légal : octobre 2013
⊚ Imprimé en Chine

Illustrations
Couverture : Marguerite Courtieu, Pef, Beatrix Potter,
Alex Sanders, Quentin Blake et Axel Scheffler
Page 1 : Tony Ross, Alex Sanders,
Joe Berger, Antoon Krings et Pef
Page 2 : Dorothée de Monfreid
Page 3 : Axel Scheffler, Tony Ross et Quentin Blake
Page de crédits : Quentin Blake

Le papier de cet ouvrage est composé de fibres naturelles,
renouvelables, recyclables, et fabriquées à partir de bois provenant
de forêts gérées durablement.

Sommaire

Quel vilain rhino !

JEANNE WILLIS • TONY ROSS

Il était une fois, un petit rhinocéros
vraiment très vilain. Il était grossier
depuis le jour de sa naissance.
– Quel charmant bébé ! s'exclama sa tante.
« nnnnnnnnn ! »
fit le petit rhinocéros.
– Ne sois pas grossier !
rétorqua sa maman.

Mais le petit rhinocéros vraiment
très grossier ne lui obéit pas.
Il était grossier avec son frère.
Il était grossier avec sa sœur.
Il était même grossier avec sa grand-mère :
– Fais-moi un petit bisou, lui demanda-t-elle.
« nnnnnnnnn ! »
fit le petit rhinocéros vraiment très grossier.

– Ça lui passera avec l'âge, remarqua son grand-père.
Mais non, cela ne lui passa pas du tout.
Le petit rhinocéros était grossier
du matin au soir.
Il était grossier avec ses amis.
Il était grossier avec ses ennemis.

Il était même grossier avec la reine.
– Comment allez-vous ? lui demanda-t-elle.

« nnnn**nnnn !** »
fit le petit rhinocéros vraiment très grossier.
– Ça lui passera avec l'âge, dit le roi.
Mais non, cela ne lui passa pas du tout.
Le petit rhinocéros était grossier
du petit déjeuner au dîner.

Il était grossier en public.
Il était grossier en privé.
Il était très, très grossier avec son instituteur.
– Tu viendras me voir après la classe !
lui ordonna l'instituteur.
« nnnnnnnnn ! »
fit le petit rhinocéros vraiment très grossier.

– Ça lui passera avec l'âge,
dit la femme de service à la cantine.
Mais non, cela ne lui passa pas du tout.
Le petit rhinocéros était grossier
du lundi matin au dimanche soir.
Il était grossier les jours de congé.
Il était grossier les jours de sport.

6

Il était même grossier le jour de Noël.
– Qu'est-ce que tu voudrais pour Noël?
lui demanda le Père Noël.
«nnnnnnnn!»
fit le petit rhinocéros vraiment très grossier.

Il était tellement grossier que sa maman
l'emmena chez le médecin.
– Ouvre la bouche et dis «aaahhh»,
lui ordonna le médecin.
«nnnnnnnn!»
fit le petit rhinocéros vraiment très grossier.
– Cela va-t-il lui passer un jour?
demanda sa maman.
– Il a une *Rhinoceritis grossierta* aiguë,
répondit le médecin.
Il n'y a rien à faire…

Or le médecin se trompait.

Juste après son cinquième anniversaire,
le petit rhinocéros se réveilla
de fort méchante humeur et décida
d'aller faire un tour, tout seul,
car il était grand à présent.

– Tu peux aller où tu veux, mais surtout
ne descends jamais à la mare, lui dit sa mère.

« nnnnnnnnn ! » fit le petit
rhinocéros vraiment très grossier
en partant.

Au bord de l'eau, il y avait
une petite fille qui mangeait
très proprement une tranche
de pastèque.

La petite fille très polie ne pouvait pas voir
le rhinocéros qui, lui, la voyait parfaitement.
Il se dit que ce serait formidablement grossier
de sortir des buissons au pas de charge :
elle s'enfuirait en courant et ainsi il pourrait
lui manger sa pastèque. Il baissa sa corne,
il frappa des pieds et...

« chaaaaaaaargea ! »

« nnnnnnnn ! »
fit la petite fille.

« ouaaaaaah ! »
fit le rhinocéros.

Ce fut un tel choc
que le petit rhinocéros
rentra chez lui
en quatrième vitesse…

… et jamais plus il ne se montra
grossier envers quiconque.

La belle lisse poire du prince de Motordu

PEF

À n'en pas douter, le prince de Motordu menait la belle vie.

Il habitait un chapeau magnifique au-dessus duquel, le dimanche, flottaient des crapauds bleu blanc rouge qu'on pouvait voir de loin.

Le prince de Motordu ne s'ennuyait jamais. Lorsque venait l'hiver, il faisait d'extraordinaires batailles de poules de neige.

Et le soir, il restait bien au chaud à jouer aux tartes avec ses coussins…

… dans la grande salle à danger du chapeau.

Le prince vivait à la campagne. Un jour,
on le voyait mener paître son troupeau
de boutons. Le lendemain, on pouvait
l'admirer filant comme le vent
sur son râteau à voile.

Et, quand le dimanche arrivait,
il invitait ses amis à déjeuner.
Le menu était copieux :

Menu du jour

.Boulet rôti
.Purée de petit bois
.Pattes fraîches à volonté
.Suisses de grenouilles
        Au dessert
.Braises du jardin
.Confiture de murs de la maison.

Un jour, le père du prince de Motordu,
qui habitait le chapeau voisin,
dit à son fils :
– Mon fils, il est grand temps
de te marier.

– Me marier ? Et pourquoi donc,
répondit le prince, je suis très bien
tout seul dans mon chapeau.

Sa mère essaya de le convaincre :
– Si tu venais à tomber salade,
lui dit-elle, qui donc te repasserait
ton singe ? Sans compter qu'une
épouse pourrait te raconter
de belles lisses poires avant
de t'endormir.

Le prince se montra sensible
à ces arguments et prit la ferme
résolution de se marier bientôt.
Il ferma donc son chapeau à clé,
rentra son troupeau de boutons
dans les tables, puis monta dans
sa toiture de course pour
se mettre en quête d'une fiancée.
Hélas, en cours de route, un pneu
de sa toiture creva.

– Quelle tuile ! ronchonna le prince,
heureusement que j'ai pensé
à emporter ma boue de secours.

– Bonjour, dit le prince en s'approchant
d'elle, je suis le prince de Motordu.
– Et moi, je suis la princesse Dézécolle
et je suis institutrice dans une école
publique, gratuite et obligatoire,
répondit l'autre.
– Fort bien, dit le prince, et que
diriez-vous d'une promenade
dans ce petit pois qu'on voit là-bas ?

Au même moment, il aperçut
une jeune flamme qui avait l'air
de cueillir des braises des bois.

– Un petit pois ? s'étonna la princesse,
mais on ne se promène pas dans
un petit pois ! C'est un petit bois
qu'on voit là-bas.

– Un petit bois ? Pas du tout, répondit le prince, les petits bois, on les mange. J'en suis d'ailleurs friand et il m'arrive d'en manger tant que j'en tombe salade. J'attrape alors de vilains moutons qui me démangent toute la nuit !

– À mon avis, vous souffrez de mots de tête, s'exclama la princesse Dézécolle et je vais vous soigner dans mon école publique, gratuite et obligatoire.

Il n'y avait pas beaucoup d'élèves dans l'école de la princesse et on n'eut aucun mal à trouver une table libre pour le prince de Motordu, le nouveau de la classe. Mais, dès qu'il commença à répondre aux questions qu'on lui posait, le prince déclencha l'hilarité parmi ses nouveaux camarades. Ils n'avaient jamais entendu quelqu'un parler ainsi !

Quant à son cahier,
il était, à chaque ligne,
plein de taches et de ratures :
on eût dit un véritable
torchon.
Mais la princesse Dézécolle
n'abandonna pas
pour autant. Patiemment,
chaque jour, elle essaya
de lui apprendre à parler
comme tout le monde.

lundi:

CALCUL

? quatre et quatre : huître.

? quatre et cinq : bœuf.

? cinq et six : bronze.

? six et six : bouse.

mardi:

Que fabrique un frigo ?
un frigo fabrique des petits
? garçons qu'on met dans
l'eau pour la rafraîchir.

HISTOIRE   jeudi:

Napoléon déclara la guerre
!? aux puces, il envahit la
?? Lucie mais les puces
mirent le feu à Moscou
et l'empereur fut chassé
? par les vers très froids
qu'il faisait cette année-
là, glaglagla....
je n'ai pas tout
compris.
Bonne écriture D.

– On ne dit pas : j'habite un papillon,
mais j'habite un pavillon.

Peu à peu, le prince de Motordu,
grâce aux efforts constants
de son institutrice, commença
à faire des progrès.
Au bout de quelques semaines,
il parvint à parler normalement,
mais ses camarades le trouvaient
beaucoup moins drôle depuis
qu'il ne tordait plus les mots.

16

À la fin de l'année, cependant, il obtint le prix de camaraderie car, comme il était riche, il achetait chaque jour des kilos de bonbons qu'il distribuait sans compter. Lorsqu'il revint chez lui, après avoir passé une année en classe, le prince de Motordu avait complètement oublié de se marier.

mardi 4

Cher Motordu

A présent que vous ne souffrez plus de mots de tête, j'aimerais savoir si vous aimeriez bien vous marier avec moi !

Princesse Dézécolle

P.S : vous avez oublié de me rendre votre livre de géographie. Merci

Mais, quelques jours plus tard, il reçut une lettre qui lui rafraîchit la mémoire.

Il s'empressa d'y répondre, le jour même.

TÉLÉGRAMME

DESTINATAIRE *Princesse Dézécolle*

NOMBRE DE MOTS : 23

MENTION DE SERVICE *La poste ferme à 5 heures !*

J'ai fini de lire le livre, il est très bien et j'accepte de me marier avec vous et avec joie. Amitiés. Stop.

N° 701-B. SIGNÉ : *Motordu (prince.)*

Et c'est ainsi que le prince de Motordu épousa la princesse Dézécolle. Le mariage eut lieu à l'école même et tous les élèves furent invités.

Un soir, la princesse
dit à son mari :
— Je voudrais des enfants.

— Combien ? demanda le prince
qui était en train de passer
l'aspirateur.

— Beaucoup, répondit la princesse,
plein de petits glaçons et de petites
billes.
Le prince la regarda avec étonnement,
puis il éclata de rire.
— Décidément, dit-il, vous êtes vraiment

la femme qu'il me fallait, madame
de Motordu. Soit, nous aurons
des enfants et, en attendant
qu'ils soient là, commençons
dès maintenant à leur tricoter
des bulles et des josettes pour l'hiver…

Élisa et ses deux grand-mères

Elizabeth MacLennan • Sue Williams

La grand-mère écossaise d'Élisa

Élisa n'était pas contente du tout.
Sa grand-mère grecque, Yaya, était partie
en Australie pour y passer l'été.
– Et, au fait, c'est où, l'Australie ?
a demandé Élisa.
– Là, a répondu Maman en lui montrant
un point sur le globe.

– Mais moi, je veux passer l'été en Grèce
avec Yaya, comme tous les étés. Même que,
parfois, on y va tous ensemble.
– Eh bien, cette année, c'est différent,
a expliqué Maman. Ton papa et moi sommes
obligés de voyager pour notre travail, et Yaya
doit absolument se rendre à Melbourne.

– Mais pourquoi ? a demandé Élisa. Je veux aller
en Grèce, moi.
– Yaya a d'autres petits-enfants, lui a rappelé
Maman.
– Oui, je sais, Alexis et Irina…
– Et bientôt un petit bébé, a ajouté Maman.
Tante Sophia a besoin de l'aide
de Yaya à Melbourne.

19

– En Grèce, dans mon village,
ils vont danser, ce soir, a fait remarquer
tristement Élisa en fixant le calendrier.
C'est jour de fête chez Yaya.
– Ne t'inquiète pas, ma puce.
Nous aussi, nous allons faire
la fête ce soir ! Nous avons
des saucisses, je fais
des frites…

– Super ! s'est écriée Élisa. Tes frites
sont les meilleures du monde !
– Eh bien, sers-toi ! a dit Mamie Mac.
Et nous ferons une petite danse
en attendant que les saucisses soient cuites.
Elle a mis un CD du violoniste
Aly Bain avec le morceau
préféré d'Élisa
pour danser.

– En place pour le *Gay Gordon* ! a annoncé
Mamie Mac en disposant les frites
dans un plat qu'elle a recouvert
d'un torchon. Et elles se sont mises
à virevolter tout autour de la cuisine.
– J'aime bien chette muchique !
a dit Élisa la bouche pleine
de marshmallows. Ch'a donne
envie de dancher !
– Je vais te montrer comment
valsait ton grand-père. Il n'avait pas
son pareil pour la valse.

Et un-deux-trois, on tourne-
deux-trois, et encore-deux-trois !
Bravo, ma chérie !
Les saucisses étaient prêtes.
– Je peux avoir un peu de ketchup ?
a demandé Élisa.
– Oui, dans la porte du frigo. Bon appétit !
Tu peux manger avec les doigts.
Élisa a terminé toute son assiette.
– Samedi, nous mangerons des *fish and chips*,
a annoncé Mamie Mac.
– Des quoi ? a demandé Élisa.

– Du poisson frit et des frites, enveloppés dans du papier. Ta mère adore ça.
– Chouette ! a dit Élisa. Je peux regarder un dessin animé, maintenant ?
– D'accord, a dit Mamie Mac. Je vais faire la vaisselle. Et après je te raconterai une histoire. C'est toi qui choisis.

– Je suis bien à Édimbourg, a décrété Élisa. Il pleut encore ?
– Probablement, a répondu Mamie Mac, mais nous sommes comme des petits coqs en pâte.
– Oui, a acquiescé Élisa en se pelotonnant sur les genoux de sa grand-mère, son éléphant serré contre elle.

On s'amuse bien à Édimbourg !

La piscine sentait l'eau de Javel. Les vestiaires étaient minuscules et les portes n'avaient plus de verrous.
Avant d'entrer dans l'eau, il fallait se tremper les pieds dans un désinfectant.
– Mais j'ai les pieds propres ! a déclaré Élisa.
– On ne sait jamais, a répondu Mamie Mac.

23

Élisa a enfilé ses brassards et traversé la piscine
dans un sens. Puis dans l'autre. Les cris
des enfants lui ont fait penser à ceux des sirènes.
Un grand garçon nageait face à elle. Il l'a heurtée
au passage et l'a éclaboussée. Elle avait de l'eau
plein les yeux.
– Ce n'est pas grave, a dit Mamie Mac. Il est
temps de prendre une douche et nous allons
te laver les cheveux.
La douche était délicieusement chaude.
– On peut utiliser le sèche-cheveux ?
a demandé Élisa.

Elles ont mis une pièce dans la fente
pour allumer l'appareil.
Les cheveux d'Élisa étaient

de plus en plus frisés.

Ensuite, Élisa a mis le pull rouge que Mamie
Mac lui avait tricoté et elles sont montées à pied
jusqu'au château d'Édimbourg. On avait
une vue sur toute la ville en contrebas,
sur les collines au loin et sur le fleuve, le Forth.
Des soldats en kilt, marchant à grands pas
vers la rue principale, les ont dépassées.
L'un d'eux a fait un clin d'œil à Élisa.

– Allons prendre un thé avec
des scones, a proposé Mamie Mac.
Elles sont donc allées dans
un café et se sont assises près
de la baie vitrée pour regarder
passer les gens.
Les scones étaient délicieux.
Presque aussi bons que ceux
de Mamie Mac. Ensuite,
c'était l'heure de prendre le bus
pour rentrer à la maison.

L'après-midi, elles sont allées aux balançoires.
Élisa avait un peu peur du pont qui grinçait.
Il enjambait la petite rivière tout près
de chez Mamie Mac. Il y avait peut-être
un lutin caché dessous, alors il fallait
le traverser très très vite. Au cas où…

Mamie Mac a affirmé qu'il n'y avait plus
de lutin dans les parages depuis longtemps.
Mais Élisa n'était pas tout à fait convaincue,
alors elle a préféré passer avec Mamie Mac
par le grand pont où, là, elle était sûre
qu'il n'y avait *jamais* eu le moindre lutin.

Au parc, il y avait deux garçons,
des jumeaux. Ils tapaient
dans un ballon de foot.
Elle aimait bien le foot, mais ils ne lui ont pas
proposé de jouer avec eux.
Au bout d'un moment, les garçons
sont rentrés chez eux. Celui
qui s'appelait Tom a oublié son blouson.
Son frère Jim et lui s'en étaient servis
comme poteau de but. Élisa
et sa grand-mère l'ont rapporté
à la maison : il avait l'air tout neuf.
– Il va se faire gronder,
s'est désolée Mamie Mac.
Nous reviendrons avec
demain et verrons bien
si nous les retrouvons.

Le lendemain après-midi, ni Tom ni Jim
ne sont revenus au parc.
– Posons-le sur la palissade, a proposé
Mamie Mac.
– Mais n'importe qui pourra le voler !
a dit Élisa.

Au même moment, elles ont aperçu
Tom et Jim. Tom avait l'air contrarié.
Élisa est allée à sa rencontre.
– Tiens, ton blouson.
Le visage de Tom s'est tout de suite illuminé.
– Génial ! Je me suis fait drôlement gronder !
Élisa a souri.

– Tu veux jouer ? a proposé Jim
en lui envoyant le ballon.
Élisa le lui a renvoyé d'un bon coup de pied.
Ils ont fabriqué un but avec des morceaux
de bois, et Tom a enfilé son blouson.
Ils ont joué tous les trois tandis que Mamie Mac
les regardait, assise sur un banc.

Au bout d'un certain temps, elle s'est levée.
– Vous voulez une glace, les garçons ?
Nous allons nous en acheter.
– Oh, oui, merci ! ont-ils répondu en chœur
en se dirigeant vers la camionnette.
Ils ont choisi des glaces avec des bâtons
de chocolat, et Mamie Mac en a pris une
avec deux gaufrettes en plus.
Ils les ont dégustées très, très lentement.

– Où est-ce que tu habites ? a demandé Tom
au moment de partir.
– Dans le quartier de Stockbridge, a répondu
Élisa.
– Nous aussi, s'est réjoui Tom. Place de la Cloche.
Et toi ?
– Place Dunrobin, au numéro 6.
– À bientôt, alors, a dit Tom.
– Salut, a dit Jim.
– Hmm, hmm, a dit Élisa.

27

Et Élisa et Mamie Mac sont rentrées
à la maison.
– On pourra retourner au parc demain ?
a demandé Élisa.
– Pourquoi pas ? a répondu Mamie Mac
avec un sourire.

Deux grand-mères

Où qu'ils se trouvent dans le monde, Papa
et Maman téléphonaient toujours à Élisa
pendant le week-end.
– Coucou, princesse. Comment va la vie ?
lui demandait toujours son papa.
– Je t'aime, ma jolie petite lune. Tu me
manques. Fais des bises à Mamie de ma part,
lui a dit sa maman ce soir-là.

Mamie avait affiché une grande carte du monde
au-dessus de la cheminée. Élisa avait collé
trois étoiles dessus. L'une sur Édimbourg,
où habitait Mamie Mac ; une
sur les îles grecques, où habitait
Yaya ; et une sur Londres
où Élisa vivait avec ses parents.

Dimanche matin, Yaya a appelé d'Australie.
– Bonjour, mon petit poisson. Comment vas-tu ?
– Très bien, a répondu Élisa. Je mets
mes bottes en caoutchouc tous les jours.
Quelle heure est-il chez toi ?
– C'est l'heure du dîner ici,
en Australie, a dit Yaya. Et je suis
en train de donner sa purée
de légumes à la petite Irina.
Elle ressemble à son papa et sait dire
« Papa Papa ». Alexis a un tricycle
et il pédale toute la journée.
Tu me manques. Comment va
Mamie Mac ?

– Elle prépare un rôti, a dit Élisa.
Nous sommes allées à la piscine.
Ça sentait un peu mauvais,
mais le château était génial
et je me suis fait des amis.
– C'est une bonne nouvelle, a dit Yaya.
– Des garçons, a précisé Élisa. Nous avons joué
au foot au parc.

– Et quel temps fait-il ? a demandé Yaya.
– Aujourd'hui, il y a eu du soleil ! a répondu Élisa.
– Bravo ! s'est exclamée Yaya.
– Est-ce que tu es allée à la pêche, en Australie ?
a demandé Élisa.
– Une fois seulement, a dit Yaya. J'ai attrapé
trois poissons.
– Tu viens me chercher demain ?
– Je crains que ce ne soit pas possible,
a expliqué Yaya. Je vais rester encore un mois
en Australie.
– Tu vas rater mon anniversaire, a dit Élisa.
Mais je te remercie d'avoir téléphoné.
Mamie Mac te dit bonjour.

– Je te poste un cadeau, a dit Yaya. Et l'été
prochain nous nous verrons toutes les deux,
en Grèce.
– Promis ? a insisté Élisa.
– Oui, promis. Je t'aime, a répondu tendrement
Yaya. Je te retéléphonerai bientôt. Je t'embrasse
très fort !

Quand Élisa a raccroché, Mamie Mac lui a fait
un gros câlin.
– Je suis tellement contente que tu sois là,
a dit Mamie Mac. Tu me manques quand tu pars
en Grèce. Bon, nous allons faire des dessins
pour Yaya, d'accord ?

Élisa a donc dessiné le château, ses bottes en caoutchouc et la camionnette du marchand de glaces.

Puis elles ont glissé les dessins dans une grande enveloppe sur laquelle elles ont écrit :

Mme Eleni Couvaras
81 Seaview Road
Glendi
Melbourne
Australie

Et elles l'ont décorée d'une petite tête rigolote. Élisa l'a postée en allant faire les courses.

– Ça va faire plaisir à Yaya, a dit Mamie Mac. J'ai toujours sur mon frigo les dessins que tu m'as envoyés de Grèce.
Et c'était vrai : il y avait une étoile de mer, un poulpe et une petite tête rigolote avec des bisous de la part d'Élisa.

JE T'AIME MAMIE
ÉLISA

– Je suis bien contente d'avoir deux grand-mères, s'est écriée Élisa en sautant au cou de Mamie Mac. Est-ce que je pourrai revenir bientôt, toute seule, rien que nous deux ?
– Quand tu voudras ! a dit Mamie Mac avec son grand sourire. Passe-moi seulement un petit coup de fil, que je me tienne prête !

– Merci, a répondu Élisa. Ou alors tu pourrais venir à Londres et tu dormirais dans ma chambre, dans le lit du bas !
– En voilà une bonne idée ! a dit Mamie Mac.

Ursule la libellule

Antoon Krings

Ursule la libellule habitait seule une petite
maison humide au milieu de l'étang.
Elle n'aimait pas que l'on vienne la déranger
et pour cette raison n'invitait jamais personne,
ce qui n'empêchait pas, chaque année,
au retour des beaux jours, la visite
de ses voisins du jardin.

Mireille l'abeille venait butiner les boutons d'or,
Léon le bourdon en profitait pour se rafraîchir
un peu les ailes. Quant à Barnabé le scarabée,
il peignait les nymphéas. Et pendant
qu'ils étaient là, Ursule allait de l'un à l'autre
pour leur dire de ne pas toucher aux fleurs,
de ne pas entrer chez elle les pattes mouillées
et de ne patati et de ne patata…

jusqu'à ce que tout le monde
rentre enfin chez soi.
Mais un jour, quelqu'un arriva à grands
bonds près de la maison d'Ursule :
Monsieur Renato Rainette.

Seulement Monsieur Renato ne faisait pas
que des bonds. Il savait même très bien
chanter. C'est d'ailleurs ce qu'il fit
en coassant bruyamment toutes les nuits
parce qu'il était amoureux et qu'il voulait
le faire savoir. La première à le savoir
fut Ursule. Elle ne pouvait plus dormir.
« Il me coasse les oreilles, celui-là. Qu'il aille
faire son boucan ailleurs », s'écria-t-elle.

Koak ! Koak ! Koak ! C'est tout ce que
la grenouille trouva à dire quand Ursule
lui demanda de faire moins de bruit.
Et comme Renato était deux fois plus gros
que la libellule et qu'il lui arrivait parfois
d'avaler quelques insectes, Ursule n'insista pas
de peur d'être mangée à son tour.

Finalement, à force de faire des koak,
Renato trouva ce qu'il cherchait :
une fiancée. Vous imaginez bien que
la libellule refusa l'invitation des grenouilles
qui se mariaient au fond de l'étang.

34

Ils se marièrent donc et ils eurent
beaucoup de têtards.
Puis les jours passèrent tranquillement
et au grand bonheur d'Ursule, on n'entendit
plus chanter Renato, trop occupé à nourrir
ses enfants.

Et ce bonheur dura un certain temps.
En fait, le temps que les têtards grandissent.
Alors un matin, une petite grenouille,
puis deux, puis trois et pour finir un tas
de petites grenouilles sortirent la tête
de l'eau et firent toutes sortes de bonds
autour de la maison d'Ursule.

« Allez, ouste ! Disparaissez, les têtards »,
s'écria-t-elle furieuse. Notre demoiselle
essaya de les chasser en les menaçant
de son balai. Ce qui n'effraya pas
les grenouillettes.

Ma grand-mère n'est pas tout à fait comme les autres… et ses amies non plus.
Elles ne font pas du tout les mêmes choses que les **autres** mamies. Elles font des tours
de prestidigitation. En général, toutes mes copines trouvent ça génial…

Mais, le jour où elle est venue
à l'école donner un coup de main,
elle est allée beaucoup trop loin !

Ma grand-mère n'est pas tout à fait comme les autres. Elle a une voiture délirante : sans toit, sans sièges, sans roues, vraiment abracadabrante ! Quand nous sommes coincées dans un embouteillage, elle ordonne à sa voiture de voler.

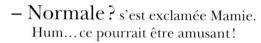

– Hé ! Mamie, attention à l'avion ! Ralentis, je t'en supplie !

Ma grand-mère n'est pas tout à fait comme les autres. Alors un jour, je lui ai proposé de la transformer en une mamie normale.

MAMIE RELOOKÉE !

HABITS CHICS !

NOUVELLE COIFFURE !

ANIMAL !

– Normale ? s'est exclamée Mamie. Hum… ce pourrait être amusant !

Nous avons commencé par tricoter des chapeaux, même si Mamie n'en a fait qu'un seul !

Ensuite, nous avons pris le bus
pour aller en ville.
– Tu sais, lui ai-je dit,
pas d'avion !
Pas question de voler
la tête en bas !

Je l'ai emmenée à l'animalerie
pour choisir un animal « normal »
– pas de crocs, pas de verrues,
pas de prouts, pas d'odeurs –,
une charmante petite bête !

Puis Mamie est allée
chez le coiffeur. Elle était très chic, bien
peignée, le chignon tiré à quatre épingles,
impeccable… une véritable œuvre d'art !

Voilà : Mamie avait l'air tout à fait normale,
et pourtant quelque chose clochait.
Ce soir-là, quand elle est rentrée chez elle,
on aurait dit la grand-mère
de quelqu'un d'autre…

Le lendemain,
je suis allée la voir,
mais elle était encore au lit.

– Oh, Mamie !
Que se passe-t-il ?
– Je… je crois que je m'ennuie !

Alors, Mamie et moi, nous sommes descendues dans
la cuisine et nous avons préparé une soupe bouillasse.
(J'ai même ajouté de la bave, de la vase
et des crottes de chauves-souris !)
Et puis nous nous sommes mises à table.
– Excuse-moi, Mamie. Tu étais
merveilleusement différente.
Mais, maintenant,
tu es toute triste.

– Pas pour longtemps ! s'est-elle écriée
en défaisant son chignon. Toutes mes amies
doivent venir à 14 h pour s'amuser
entre mamies !

Alors Mamie a tout préparé et moi
j'ai laissé entrer les chauves-souris,
puis les crapauds et les chats,
cachés dans les pots
de fleurs.

41

Ma grand-mère n'est pas tout à fait comme les autres. C'est ainsi. J'adore ma mamie telle qu'elle est et je sais qu'elle m'adore aussi.

Elle m'emmène en vacances.
Pas besoin d'emporter de bonnets chauds…

les maillots de bain suffiront…

…ainsi que seize chats et crapauds   et trente chauves-souris !

Le rat scélérat

JULIA DONALDSON • AXEL SCHEFFLER

Le Rat Scélérat était un mauvais garçon.
Le Rat Scélérat était un monstre.
Il ravissait ce qui lui chantait et mangeait
ce qu'il ravissait.
Sa vie se résumait à un long festin.
Ses dents étaient tranchantes et jaunes,
ses manières brutales et sans grâce,
Et le Rat Scélérat chevauchait,
chevauchait, chevauchait,
Chevauchait par les chemins
et dérobait leurs victuailles aux voyageurs.

43

Une lapine qui avançait sur la route en sautillant
s'arrêta soudain, les mains en l'air,
Car, lui barrant le passage, se tenait
le Rat Scélérat, qui cria :
– Qui va là ?

– Donne-moi tes pâtisseries et tes entremets !
Donne-moi tes chocolats et tes gâteaux !
Car je suis le Rat Scélérat,
Le Rat Scélérat, le Rat Scélérat,
et je prends ce qui me plaît.

– Je n'ai pas de gâteaux, répondit la lapine.
Je n'ai qu'une malheureuse touffe de trèfle.
Le Rat Scélérat lui lança un regard méprisant
mais ordonna :
– Donne-la-moi.

Je parie que ce trèfle est sans saveur.
Il n'en existe pas de plus fade.
Mais je suis le Rat Scélérat,
et ce trèfle est à *moi* !

Un écureuil qui arrivait en bondissant sur la route,
s'immobilisa soudain en tremblant comme une feuille,
Car, tirant sur la bride de son cheval, se tenait
le Rat Scélérat, qui tonna :
– La bourse ou la vie !

Donne-moi tes petits pains au lait
et tes biscuits !
Donne-moi tes éclairs au chocolat !
Car je suis le Rat Scélérat,
Le Rat Scélérat, le Rat Scélérat,
Oui, je suis le Rat Scélérat,
et le Rat Voleur ne partage pas.
– Je n'ai pas de petits pains au lait,
répondit l'écureuil.

Je n'ai qu'un malheureux sac de glands.
Le brigand s'empara du sac et gronda :
– Pas de discussion !
Aucun doute, ces glands sont pourris,
Il n'en existe pas de plus durs,
Mais je suis le Rat Scélérat,
et ces glands sont à *moi*.

Des fourmis qui trottinaient sur la route,
firent halte dans un soubresaut,
Car, montrant les dents, se tenait le Rat Scélérat,
qui lança ce cri assourdissant:
– Halte !

Donnez-moi vos bonbons et vos sucettes !
Donnez-moi vos caramels et vos berlingots !
Car je suis le Rat Scélérat,
Le Rat Scélérat, le Rat Scélérat,
Oui, je suis le Rat Scélérat,
et personne n'ose me dire non.
– Nous n'avons pas de bonbons,
répondirent les fourmis.

Nous n'avons qu'une belle feuille verte.
– C'est faux, vous ne l'avez plus,
déclara le bandit de grand chemin.
Cette feuille ne vaut pas un clou et elle est amère.
Il n'en existe pas de plus négligeable,
Mais je suis le Rat Scélérat,
et cette feuille est à *moi* !

Sans jamais prier ou remercier,
le Rat continua ses larcins.

Des mouches à une araignée !

Du lait à un chat !

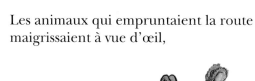

Il déroba même du foin à son cheval !

Les animaux qui empruntaient la route
maigrissaient à vue d'œil,

Tandis que le Rat Scélérat engraissait
comme un cochon en se régalant
du repas des autres.

47

Une cane qui arrivait sur la route en se dandinant
s'arrêta et salua le Rat:
– Enchantée, dit-elle.
– Je constate que tu n'as rien, se plaignit le Rat.

Dans ce cas, je n'ai plus qu'à te manger!
Je doute que tu sois succulente.
Il n'en existe sans doute pas
de plus coriace que toi,

Mais je suis le Rat Scélérat,
Le Rat Scélérat, le Rat Scélérat,
Oui, je suis le Rat Scélérat,
et je mangerais bien de la cane au dîner!

– Attendez, cancana la cane, car j'ai une sœur,
qui possède des friandises plus délectables que moi.
Elle serait ravie de faire votre connaissance
et vous l'apprécierez, j'en suis sûre,
Car au plus profond de sa grotte obscure,
tout en haut de la colline,
Biscuits et petits pains au lait sont légion
et vous pourrez manger à satiété.

– Conduis-moi ! cria le Rat et ils prirent la route,
qui semblait ne devoir jamais finir,
Et ils chevauchaient toujours plus loin,
toujours plus haut, virage après virage.

Ils arrivèrent enfin devant une grotte reculée,
et la cane se mit à cancaner.
– Bonsoir, ma sœur,
sœur, sœur…

Et…
du fond de la grotte une voix répondit:
« **Sœur,**
sœur,
sœur… »

- As-tu des gâteaux et des chocolats ?
cria le bandit de grand chemin.

Et, « *Chocolats ! Chocolats ! Chocolats…* »
répondit la voix du fond de la grotte.

- Je viens les chercher, hurla le Rat Voleur.
Ses yeux s'arrondirent de gourmandise.

Et, « *Viens les chercher, chercher, chercher !* »
répondit l'amical écho.

Le Rat Scélérat mit pied à terre
et entra sans tarder dans la grotte.

50

La cane enfourcha sa monture
et reprit la route au galop.
Toujours plus vite, tournant après tournant.

La jeune cane courageuse chevauchait,
Chevauchait, chevauchait.
Revenant à bride abattue
vers ses amis affamés.

C'est ainsi qu'ils se partagèrent les provisions des sacoches et festoyèrent toute la nuit.
Vives étaient les flammes du feu de joie, fortes la musique et les chansons,
Débridées les danses au clair de lune, joyeuses l'humeur et les conversations,
Car désormais ils pouvaient vivre en liberté à l'abri du Rat Scélérat.

Quant au Rat dans la grotte aux échos,
il cria et erra tant et plus, jusqu'à ce…
Qu'il trouve une sortie vers la lumière,
de l'autre côté de la colline.

Amaigri, grisonnant et docile,
par les grands chemins,
le Rat ne vole plus,
Car il a décroché un emploi
dans une pâtisserie, pâtisserie,
pâtisserie.

On dit qu'il y travaille toujours,
balayant inlassablement la pâtisserie.

Le Roi PapyPapy

ALEX SANDERS

Il était une fois un vieux roi très gentil.
Il avait la moustache et la barbe blanches, comme
le Père Noël, et lui aussi était l'ami des enfants :
c'était le Roi PapyPapy !
Ce bon roi avait jadis eu son heure de gloire :
véritable héros de la fameuse bataille de Polochon-
sur-Loire en 1432, il montrait ses médailles à qui
voulait les voir, en sifflotant des chansons d'antan.

La Reine MamieMamie était sa meilleure amie.
Ensemble, ils avaient vécu des choses formidables.
Mais elle refusait d'habiter avec lui dans
son château, car il ronflait comme un hippopotame.
Comme le Roi PapyPapy et ses Papynosaures
faisaient la sieste quatre ou cinq fois par jour,
elle avait préféré avoir son petit château à elle ;
mais pas trop loin quand même, pour venir le voir
quand elle en avait envie et lui apporter des tisanes.

Le château du Vieux-Chêne était une confortable
demeure.
Certes, le plancher grinçait un peu, mais
il y avait d'immenses cheminées dans lesquelles
les domestiques du roi, que les enfants
surnommaient les « Papynosaures », faisaient
d'immenses flambées.
Qu'il était bon d'y passer ses soirées à écouter
Sa Majesté PapyPapy raconter les souvenirs
de ses exploits au fleuret, pendant que la Reine
MamieMamie gentiment servait des tisanes.

Cela dit, bien souvent, le roi se levait aux aurores pour aller pêcher dans son petit lac, juste à côté du château. Il prenait ses appâts et sa grande canne à pêche, et revenait à midi avec de la truite ou du barbeau. Pendant qu'on les grillait, il faisait sa sieste, puis on déjeunait, et à nouveau la sieste. Ensuite c'était partie de cartes, encore une petite sieste, et puis partie de pétanque, ou balade en forêt.
Les enfants du Roi Papa adoraient leur Roi PapyPapy.

Ils venaient chez lui passer les vacances et ne s'y ennuyaient jamais.
Le roi leur montrait comment utiliser tous ses outils.
Ensemble, ils jardinaient et, lorsque le Roi PapyPapy tenait conférence, au beau milieu de son Royal Potager, expliquant bien comment il fallait planter les radis et bêcher les navets, on pouvait entendre les mouches voler.
Mais ce qui avait la préférence des enfants, c'était le grenier.

Ils pouvaient y passer des heures à farfouiller :
– Oh ! Regarde, Philibert ! Un casque de chevalier !
– Venez voir ! Une perruque ! Une perruche empaillée !
Le Roi PapyPapy, du fond de sa caverne d'Ali Baba, les écoutait s'émerveiller devant des centaines de bibelots et des milliers d'objets étranges rapportés de ses nombreux voyages.
C'est alors qu'un soir, le petit Swan, qui était parti à la recherche de son doudou perdu, trouva dans un coin un très, très ancien parchemin.

– Par la moustache de mes aïeux ! C'est la carte
d'un trésor ! s'écria le Roi PapyPapy en admirant
la découverte ; cette carte indique l'emplacement
du trésor de mon arrière-arrière-arrière-grand-père
Pépé-Le-Magnifique ! Je la cherchais depuis
des lustres, et je ne me souvenais plus du tout
où je l'avais fourrée ! Hé, hé ! Ma mémoire n'est plus
ce qu'elle était ! s'exclama le souverain.
Et, dès le lendemain, le Roi PapyPapy organisa
une immense chasse au trésor.

Dans son Grand Garage Royal, Son Ancienneté tint
à nouveau conférence, expliquant un à un l'usage
des outils : les pelles, les bêches, les pioches,
les râteaux, les binettes, les brouettes…
Mais les enfants bouillaient d'impatience ! Chacun
voulait trouver le trésor de Pépé-Le-Magnifique !
– Attention ! Mes tulipes ! s'égosillait le Roi PapyPapy.
C'est alors que la silhouette du Roi KipikKipik
apparut à l'horizon.

La nouvelle de cette chasse au trésor, qui s'était
répandue comme une traînée de poudre,
était parvenue aux oreilles du roi des pirates…
C'est alors que le petit Swan, toujours lui, s'exclama :
– Roi PapyPapy ! Je l'ai trouvé ! Je l'ai trouvé !
Le trésor de PèPé-Le…
– Magnifique ! coupa net le Roi KipikKipik en s'emparant
brutalement du butin. Nom d'un perroquet boiteux !
– Coquin ! Rustre ! Scélérat ! s'indigna aussitôt le Roi
PapyPapy. Vous ne vous en tirerez pas comme cela,
flibustier ! Rendez ce coffre ou vous allez tâter
de mon épée !
– Ha, ha, ha! ricana le vilain pirate, un duel ?
Pourquoi pas ?

Un impitoyable combat s'engagea ! Les enfants tremblaient à l'idée de voir leur bon Roi PapyPapy découpé en rondelles.
Il n'en fut rien, celui-ci avait de la bouteille !
Quatorze siècles d'escrime derrière lui !
Une irremplaçable expérience de la bataille !
Cependant, le roi des pirates était un peu retors ; il avait, lui, appris le maniement du sabre avec le terrible Barberousse !
Si bien que le Roi PapyPapy ne fit pas dans la dentelle…

… et l'assomma finalement à coups de pelle !
Le Roi KipikKipik prit aussitôt la poudre d'escampette ! Comme les enfants étaient fiers de la bravoure du Roi PapyPapy !
– Voilà la Reine MamieMamie ! se réjouit l'un d'entre eux.
La bonne reine arrivait à point nommé avec de la tisane relaxante au tilleul et une immense pile de crêpes au sirop d'érable, qu'elle avait préparées avec amour.

Après une grosse sieste réparatrice, le bon vieux roi partagea généreusement l'héritage de son pépé : son ancêtre lui avait légué un trésor de mille pièces d'or et de pierreries ! Il offrit alors à sa reine un somptueux collier d'émeraudes et de rubis.
Il y avait aussi de magnifiques médailles et, comme le petit Swan avait tout trouvé, il reçut la plus belle !
Enfin, tous dansèrent la farandole et le rock'n roll avec le Roi PapyPapy et la Reine MamieMamie !

Qu'il est long, ce loup-là !

JEAN-FRANÇOIS MÉNARD • DOROTHÉE DE MONFREID

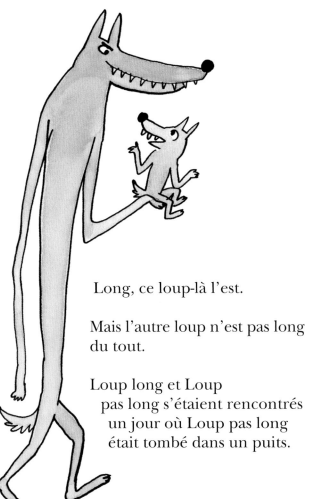

Long, ce loup-là l'est.

Mais l'autre loup n'est pas long du tout.

Loup long et Loup pas long s'étaient rencontrés un jour où Loup pas long était tombé dans un puits.

Loup long avait plongé pour porter secours au malheureux. Il était si long que, même lorsqu'il eut la tête au fond du puits, ses pattes de derrière restèrent solidement plantées sur le sol.

Loup pas long put ainsi grimper sur le dos
de Loup long pour sortir du trou.
Ensuite, il tira Loup long par ses pattes
de derrière pour l'aider à sortir à son tour.
– Je suis petit, mais je suis très fort,
dit Loup pas long.
Loup pas long remercia Loup long
de l'avoir tiré d'affaire.

– Heureusement que tu es long, dit-il.
– Et toi, heureusement que tu es fort,
répondit Loup long.
Loup long et Loup pas long devinrent
alors les meilleurs amis du monde.

– Quel est ton plat préféré ? demanda
Loup long. Tu aimes les petits cochons ?
– Les cochons, c'est sale et bruyant,
dit Loup pas long.

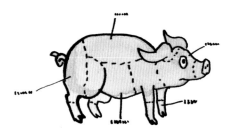

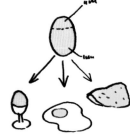

– Et les poules ? Tu aimes les poules ?
– Les poules sont pleines de plumes,
c'est très désagréable à manger. Je préfère
les œufs.
– Tu as raison, une bonne omelette,
quel régal ! approuva Loup long.

– Je connais un poulailler où les œufs
sont délicieux, dit Loup pas long.
Je suis trop petit pour passer par-dessus
le grillage mais, à nous deux,
nous parviendrons à y entrer...

C'était un poulailler isolé
qui appartenait à un vieil homme
bougon. Le coq de ce poulailler
était un peu bizarre.
Les poules l'appelaient
le « professeur » car il passait
son temps à faire des calculs
très compliqués.

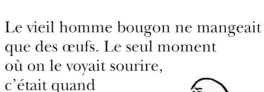

Le vieil homme bougon ne mangeait
que des œufs. Le seul moment
où on le voyait sourire,
c'était quand
il dégustait un œuf
à la coque ou
une omelette.

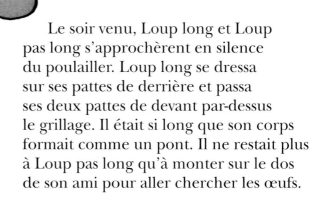

Le soir venu, Loup long et Loup
pas long s'approchèrent en silence
du poulailler. Loup long se dressa
sur ses pattes de derrière et passa
ses deux pattes de devant par-dessus
le grillage. Il était si long que son corps
formait comme un pont. Il ne restait plus
à Loup pas long qu'à monter sur le dos
de son ami pour aller chercher les œufs.

Loup pas long souleva délicatement
les poules une par une pour prendre
les œufs qu'elles avaient pondus.
En quelques minutes, il parvint à remplir
son panier sans avoir réveillé une seule
poule. Loup pas long remonta sur le dos
de son ami et ressortit du poulailler.

Mais les deux loups ignoraient
qu'ils avaient été observés avec attention.
En effet, le professeur et un petit poussin,
qui ne dormaient ni l'un ni l'autre,
s'étaient cachés dans un coin et n'avaient
rien perdu de la scène. Le petit poussin
était l'artiste de la basse-cour, il avait
toujours un carnet sur lequel il dessinait.
– Qu'il est long, ce loup-là ! marmonna
le coq savant.

– Mais l'autre loup n'est pas long du tout,
remarqua le petit poussin.

Lorsqu'ils furent revenus dans la forêt,
Loup long et Loup pas long se préparèrent
d'énormes omelettes.
– Je n'ai jamais rien mangé d'aussi
délicieux ! s'exclama Loup long lorsqu'il
eut terminé son repas.

– Nous retournerons chercher des œufs
dès la nuit prochaine, dit Loup pas long.
Le ventre bien rempli, ils s'endormirent
alors d'un sommeil profond.

Au matin, comme d'habitude, le vieux grognon alla prendre des œufs dans son poulailler. Mais il n'en trouva pas.
– Vous n'avez rien pondu? s'écria-t-il, furieux. Qu'est-ce que je vais manger, moi? Si cela se reproduit demain, il y aura de la cuisse de poule au menu de mon petit déjeuner!

Quand le vieux bougon fut retourné dans sa maison, les poules étaient affolées.
– Que s'est-il passé? dit l'une d'elle qui s'appelait Gélinette.
– Les œufs ont été volés par deux loups, répondit le coq. Il y en avait un très long.
– Mais l'autre n'était pas long du tout, dit le poussin.
Et il montra à Gélinette le dessin qu'il avait fait de Loup long et de Loup pas long.

– Vous avez vu les voleurs et vous n'avez rien dit? s'exclama Gélinette. Nous allons finir à la casserole à cause de vous!
– J'ai une idée pour qu'ils ne reviennent plus jamais, dit le coq. Je vais vous préparer des graines de ma composition. Si les deux loups se montrent à nouveau, ils le regretteront!

Dans l'après-midi, Loup long et Loup pas long se réveillèrent après avoir digéré leur omelette.

– Ces œufs étaient un régal, dit Loup
long, j'ai hâte d'en manger d'autres.
– Quand il fera nuit, nous retournerons
au poulailler, proposa Loup pas long.

Pendant ce temps, le coq avait préparé
des graines à sa façon.
– Elles ne sont pas très bonnes, tes graines,
se plaignit Gélinette.
– Mangez-les et tout ira bien, répondit
le coq.
– Si les loups reviennent, je ferai un beau
dessin, murmura le petit poussin,
son carnet sous l'aile.

À la fin de la journée, lorsque les poules
eurent à nouveau pondu après avoir mangé
les graines du professeur, Gélinette cacha
la moitié des œufs tout au fond du poulailler.
– Même si les loups viennent nous voler,
il restera des œufs pour notre maître,
dit-elle.

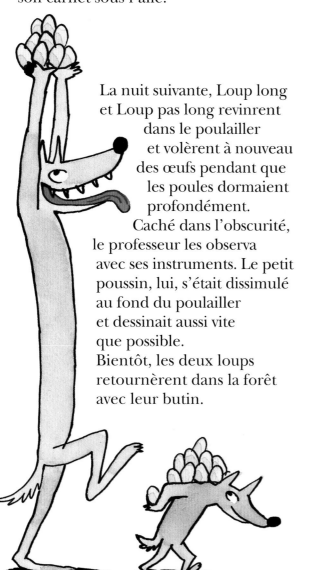

La nuit suivante, Loup long
et Loup pas long revinrent
dans le poulailler
et volèrent à nouveau
des œufs pendant que
les poules dormaient
profondément.
Caché dans l'obscurité,
le professeur les observa
avec ses instruments. Le petit
poussin, lui, s'était dissimulé
au fond du poulailler
et dessinait aussi vite
que possible.
Bientôt, les deux loups
retournèrent dans la forêt
avec leur butin.

– J'ai une faim de loup très long !
s'exclama Loup long.
Mais, lorsqu'ils voulurent casser
les coquilles pour faire leur omelette,
les œufs leur explosèrent à la figure
comme un feu d'artifice.

Loup pas long fut projeté
au sommet d'un arbre et Loup
long se trouva si bien entortillé
dans les ronces qu'il ne savait
même plus où était sa queue.
– Au secours ! gémit Loup pas long.
Je ne peux pas descendre !
– À l'aide ! cria Loup long.
Je suis pris dans les ronces !
À l'aube, quand le vieux bougon
se précipita dans son poulailler,
Gélinette lui montra les œufs
qu'elle avait cachés la veille,
avant l'arrivée des loups.

– Vous vous êtes décidées à pondre !
s'exclama-t-il. J'espère que vos œufs
sont délicieux, sinon je mangerai
de la cuisse de poule pour mon petit
déjeuner !

Les malheureuses poules tremblaient
de peur, mais le coq les rassura.
– Ne craignez rien, dit-il, les loups
ne voleront plus vos œufs. C'est dommage
car j'aurais bien voulu les étudier
de plus près !
– Et moi, j'aurais bien aimé faire d'autres
dessins, murmura le petit poussin.

Dans sa cuisine, le vieux bougon
avait retrouvé le sourire en pensant
à la succulente omelette qu'il allait
se préparer. Mais, lorsqu'il voulut casser
les œufs, ils lui explosèrent à la figure
et le vieux bougon tomba à la renverse
parmi les poêles, les casseroles
et les assiettes. Une grosse marmite
atterrit alors sur sa tête et l'assomma.

Pendant ce temps, Loup long avait enfin réussi à se dresser jusqu'à la branche sur laquelle Loup pas long avait été projeté. Loup pas long descendit sur son dos et tira Loup long de toutes ses forces pour l'arracher aux ronces.
– Ces poules vont nous payer ça ! dit Loup pas long.

– Elles n'y sont pour rien, dit alors le professeur en se dressant, la crête haute, devant les deux loups. C'est moi qui ai vidé les cartouches du fusil pour mélanger la poudre aux graines des poules. Ainsi, leurs œufs ont explosé comme des pétards. J'espérais que cela vous servirait de leçon.
– Imbécile ! s'exclama Gélinette. Les œufs ont aussi explosé à la figure de notre maître !
– On ne peut penser à tout, répondit le professeur d'un air penaud.
– C'est toi qui mérites une bonne leçon ! dit Loup long au vieux coq. Nous allons te manger !

– Je vais en manger une bien grasse et tant pis si j'avale quelques plumes ! grogna Loup long.
Quand le vieux bougon reprit connaissance, il entendit hurler, caqueter, piailler. Encore tout étourdi, il vit les deux loups qui étaient entrés dans le poulailler et semaient la panique parmi les poules.
– Vite, mon fusil ! s'exclama-t-il.
Mais, lorsqu'il voulut tirer sur les loups, il ne se passa rien du tout.
– Mes cartouches ! Elles sont vides !

Pendant ce temps, les loups pourchassaient les poules qui couraient en tous sens.
– À cause de vous, nous avons failli exploser ! s'écria Loup long avec colère.
– Nous aurions pu être transformés en hamburgers ! gronda Loup pas long.

– Vous auriez tort, répondit le coq, car je suis coriace et couvert de vieilles plumes.

Dans un coin du poulailler, le petit poussin, très calme, dessinait la scène à grands coups de crayon.

Le vieux bougon alla chercher dans la cuisine les œufs remplis de poudre et les jeta dans le poulailler en visant les deux loups. Les œufs explosèrent avec bruit.

– Cette fois, c'est une cuisse de vieux bougon que je vais manger ! s'exclama Loup long, le museau noirci.
– Une cuisse pour chacun ! approuva Loup pas long dont la fourrure dégageait une odeur de loup grillé.

Et ils se jetèrent sur le vieux bougon qui détala à toutes jambes lorsqu'il vit briller leurs dents.

L'explosion des œufs n'avait pas seulement noirci le museau des loups. Elle avait aussi ouvert dans le grillage une brèche par laquelle les poules réussirent à s'échapper.
– Regardez ! Nous voilà libres ! s'écria le professeur.
– Et à quoi cela va-t-il nous servir ? demanda Gélinette.

– Nous allons pouvoir découvrir le monde et je le mesurerai avec mes instruments !
– Moi, je ferai plein de dessins ! se réjouit le petit poussin.
– Nous n'aurons pas fait cent mètres qu'un chat, un chien ou un renard nous auront mangés ! se lamenta Gélinette.

Le vieux bougon avait si peur des loups qu'il courut plus vite qu'eux et parvint à s'enfuir dans sa voiture.

Loup long et Loup pas long revinrent
donc bredouilles de leur chasse
au bougon.
En passant devant le poulailler, ils virent
qu'il était vide.
– Nous n'aurons pas d'œufs aujourd'hui,
gémit Loup pas long.
– Si au moins nous avions quelques
poules à manger, marmonna Loup long.

Gélinette avait vu juste. Dès que le coq
et les poules eurent quitté le poulailler,
ils se retrouvèrent entourés d'un chat,
d'un chien et d'un renard affamés.
– Au secours ! caquetèrent les poules
dans un grand vacarme.
Entendant leurs appels, les deux loups
accoururent.
– Ces poules sont à nous, défense
d'y toucher ! s'écria Loup long
en s'enroulant autour d'elles pour
les protéger.

Loup pas long se précipita sur le chat,
le chien et le renard qui prirent la fuite
car ils n'étaient pas de taille à se battre
contre lui.
Le petit poussin, ravi, dessina toute la scène.

– Vous nous avez sauvé la vie ! s'exclama
Gélinette.
– C'est pour mieux vous manger !
dit Loup long.

– On ne peut manger quelqu'un
qu'on vient de sauver, fit observer
le professeur. Ce ne serait pas logique.
– Continuez plutôt à nous protéger,
suggéra Gélinette, et nous pondrons
pour vous autant d'œufs que vous
en voudrez !

Les deux loups se consultèrent.
– Qu'en penses-tu, mon cher Loup long ?
– L'idée me paraît bonne, mon cher
Loup pas long.

Ainsi, ils s'installèrent ensemble
dans la forêt. Les loups s'empiffraient
d'œufs, le vieux coq faisait ses calculs
et le petit poussin ne cessait de dessiner.

Mais les poules pondaient tellement que,
bientôt, les deux loups n'arrivèrent plus
à manger tous leurs œufs.
– Si on ouvrait un restaurant ? suggéra
Loup long.
Ils se mirent au travail et, quelques jours
plus tard, une pancarte indiquait :

Auberge des deux loups, œufs coque,
durs, brouillés, omelettes en tout genre

Loup long et Loup pas long étaient
si doués pour la cuisine que
tous les animaux de la forêt vinrent
manger chez eux. Le professeur
se lia d'amitié avec un vieux hibou
qui s'intéressait à ses calculs

et le petit poussin devint célèbre en faisant
le portrait des clients.
– C'est nous qui pondons et c'est eux
qui s'amusent, ronchonnaient parfois
Gélinette et les autres poules.
Mais personne ne les écoutait.

Sophie Canétang

Beatrix Potter

Avez-vous déjà vu une poule s'occuper
d'une couvée de canetons ? C'est un spectacle
assez cocasse.
Mais écoutez plutôt l'histoire de Sophie
Canétang. La femme du fermier ne la laissait
jamais couver ses propres œufs et Sophie
s'en trouvait fort contrariée.
Sa belle-sœur Rebecca, quant à elle,
était tout à fait d'accord pour que
quelqu'un d'autre couve ses œufs à sa place.

– Je n'aurais jamais la patience de rester
assise dans un nid pendant vingt-huit jours
et toi non plus, Sophie. Tu les laisserais
refroidir, tu le sais bien.
– Je veux couver mes œufs, répondait Sophie,
et je les couverai toute seule !

Elle essayait bien de cacher ses œufs, mais
quelqu'un finissait toujours par les trouver
et les lui prendre.
Sophie était au désespoir. Aussi décida-t-elle
un jour d'établir son nid loin de la ferme.

Et, par un bel après-midi de printemps,
elle se mit en route, vêtue d'un chapeau
et d'un châle, en direction de la colline.

Lorsqu'elle eut atteint le sommet de la colline,
elle aperçut au lointain un bois qui semblait
pouvoir lui offrir un abri sûr et tranquille.

Sophie n'avait pas l'habitude de voler.
Elle descendit la colline en courant
et en agitant son châle puis elle s'élança
dans les airs.

Le départ avait été difficile mais, une fois
qu'elle eut pris de l'altitude, elle vola
très bien. Survolant le bois, elle aperçut
bientôt une clairière parmi les arbres.

Sophie s'y posa plutôt lourdement
et chercha en se dandinant un bon endroit
pour installer son nid. Elle vit un peu plus loin
une souche d'arbre entourée de digitales
qui lui parut idéale.
Mais, à sa grande surprise, un personnage
élégamment vêtu était assis sur la souche
et lisait un journal.
Ses oreilles étaient noires et pointues
et il avait des moustaches rousses.
– Coin, coin ? dit Sophie en penchant
la tête de côté.
Le personnage leva les yeux de son journal
et regarda Sophie avec curiosité.

– Vous seriez-vous égarée, Madame ?
demanda-t-il.
Il avait une queue touffue sur laquelle
il était assis, car la souche était quelque peu
humide.

Sophie le trouva fort aimable et très séduisant.
Elle lui expliqua qu'elle ne s'était pas égarée,
mais qu'elle essayait de trouver un bon endroit
pour installer son nid.
– Ah, vraiment ? Tiens donc, dit l'élégant
personnage aux moustaches rousses,
en regardant Sophie avec intérêt. Il plia
son journal et le rangea dans la poche
de son manteau.
Sophie lui raconta ses malheurs, se plaignant
de la poule qui couvait ses œufs à sa place.
– Voilà qui est intéressant, dit l'autre,
j'aimerais bien rencontrer ce volatile pour
lui apprendre à s'occuper de ses affaires.

– Mais en ce qui concerne votre nid, soyez
rassurée, dans ma remise, il y a des sacs
de plumes et, là, je vous promets la tranquillité ;
vous pourrez vous installer sans crainte
d'être dérangée, ajouta le personnage
à la queue touffue.
Il conduisit Sophie vers une maison isolée,
d'aspect lugubre, perdue parmi les digitales.
La maison était faite de branchages et de terre
battue et, sur le toit, il y avait deux vieux seaux
l'un sur l'autre en guise de cheminée.

– C'est ma résidence d'été, dit l'aimable
inconnu, ma tanière – je veux dire
ma résidence d'hiver – est moins confortable.

Il y avait à l'arrière de la maison une resserre
délabrée construite avec des caisses à savon.
L'élégant personnage ouvrit la porte
et invita Sophie à entrer.
La resserre était remplie de plumes.
C'en était presque étouffant.
Sophie s'étonna de voir une telle quantité
de plumes. Mais l'endroit était très douillet
et elle put sans difficulté y aménager son nid.

Quand elle ressortit, le personnage
aux moustaches rousses était assis
sur une grosse bûche et lisait son journal.
Ou plutôt, il faisait semblant de lire,
car, en fait, il observait Sophie.
Il sembla désolé que Sophie dût rentrer
chez elle pour la nuit, mais il lui promit
de prendre bien soin de son nid jusqu'à
son retour le lendemain matin. Il ajouta
qu'il aimait beaucoup les œufs et les canetons,
et qu'il serait très fier que sa resserre
abrite toute une couvée.

Par la suite, Sophie revint chaque après-midi
dans son nid où elle pondit plusieurs œufs,
neuf exactement. Ils étaient très gros et
leur couleur tirait sur le vert. Le rusé maître
des lieux les contemplait avec la plus grande
admiration et, quand Sophie n'était pas là,
il les retournait et les comptait.
Un jour, Sophie lui annonça qu'elle
commencerait à couver dès le lendemain.
– J'apporterai un sac de graines, dit-elle,
ainsi je pourrai rester au nid jusqu'à ce que
les œufs soient éclos. Autrement,
ils risqueraient de prendre froid.

– Chère Madame, lui dit son hôte,
ne vous encombrez pas d'un sac,
je vous donnerai de l'avoine. Mais, avant
que vous ne commenciez à couver,
je souhaiterais vous inviter à dîner.
Puis-je vous demander de m'apporter
quelques herbes de la ferme, pour préparer
une omelette ? Il me faudrait de la sauge,
du thym, de la menthe, deux oignons
et du persil. Je me procurerai
du lard pour la farce – je veux dire
pour l'omelette.

Sophie était naïve. Ni la sauge
ni les oignons n'éveillèrent ses soupçons.
Et elle alla cueillir dans le jardin
de la ferme toutes les herbes que son hôte
lui avait demandées et dont on se sert
généralement pour rôtir les canards.

Puis elle se rendit dans la cuisine
pour y prendre deux oignons. En sortant
elle rencontra Kep, le chien de la ferme.
– Que fais-tu avec ces oignons et pourquoi
quittes-tu la ferme tous les après-midi ?
lui demanda-t-il.

Sophie avait toujours eu un peu peur
du chien et elle préféra lui raconter
son histoire sans chercher à lui mentir.
Le chien l'écouta, la tête penchée,
et il fit une grimace lorsqu'elle lui décrivit
le personnage aux moustaches rousses
qui se montrait si poli.
Le chien lui demanda où se trouvaient
le bois et la maison de son hôte.
Puis il se rendit au village pour y chercher
deux de ses amis chiens qui se promenaient
avec le boucher.

Il faisait grand soleil lorsque Sophie,
chargée de ses herbes et de ses oignons,
monta au sommet de la colline
pour la dernière fois.
Elle survola le bois et se posa devant
la maison de son hôte à la queue touffue.

Il était assis sur un tronc d'arbre, flairant
le vent et jetant des regards inquiets
autour de lui. Lorsqu'il aperçut Sophie,
il se précipita vers elle.
– Venez me rejoindre à la maison dès
que vous aurez été voir vos œufs. Donnez-moi
les herbes pour l'omelette. Dépêchez-vous !
Il avait dit cela d'un ton brutal ; Sophie
ne l'avait jamais entendu parler ainsi.
Elle en fut étonnée et se sentit soudain
mal à l'aise.

Tandis qu'elle était dans son nid,
elle entendit des bruits de pas derrière
la resserre. Elle vit un nez tout noir
qui reniflait sous la porte, puis quelqu'un
la ferma à clé.
Sophie devint très inquiète.

Un instant plus tard, elle entendit un terrible
vacarme : des aboiements, des grognements,
des hurlements, des gémissements.

Et plus personne ne revit jamais
le renard aux moustaches rousses.

Bientôt, Kep, le chien de la ferme, ouvrit
la porte de la resserre et délivra Sophie.
Mais, malheureusement, les deux autres
chiens se précipitèrent à l'intérieur
et gobèrent ses œufs avant que Sophie
ait pu les arrêter.
Kep avait été mordu à l'oreille
et les deux autres chiens boitaient.

Tous trois ramenèrent à la ferme
Sophie qui pleurait la perte de ses œufs.

Elle en pondit d'autres au mois
de juin et on l'autorisa à les couver.
Mais quatre seulement purent éclore.
Sophie expliqua que c'était à cause
de sa nervosité mais, en fait, elle n'avait
jamais été très douée pour rester assise.

Boucle d'or et les trois ours

Tony Ross

Il était une fois une petite fille
qui avait de si beaux cheveux blonds
que tout le monde l'appelait
Boucle d'or.

Un jour, elle se promenait dans les bois,
lorsqu'elle vit une petite maison.
Elle frappa à la porte et, comme
personne ne répondait, elle décida
d'entrer quand même.

Or, la maison appartenait à une famille
d'ours. Il y avait un gros grand ours,
une ourse de taille moyenne
et un petit ourson. Le gros grand ours
avait préparé du porridge qu'il avait
versé dans trois bols, un grand,
un moyen et un tout petit pour
le bébé ours. Mais le porridge était
trop chaud et les ours avaient décidé
d'aller se promener en attendant
qu'il refroidisse.
Lorsque Boucle d'or vit les trois bols
remplis d'un porridge fumant
et apparemment délicieux, son estomac
se mit à gronder.

« Il faut que j'y goûte, pensa-t-elle. La maison est vide et je suis sûre que ça ne dérangera personne. » Elle prit d'abord une cuillerée dans le grand bol.

– Trop salé ! s'écria-t-elle avec une grimace.

Elle prit alors une cuillerée dans le bol de taille moyenne.

– Trop sucré !

Enfin, elle essaya le petit bol.

– Juste comme il faut ! dit-elle d'un ton joyeux, et elle mangea tout.

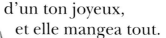

Boucle d'or, à présent, se sentait fatiguée. Autour de la table, il y avait trois fauteuils, un grand, un moyen et un tout petit. Elle s'assit dans le grand fauteuil.

– Trop haut ! déclara-t-elle en se relevant d'un bond.

Elle essaya alors le fauteuil de taille moyenne.

– Trop bas !

Enfin, elle s'assit dans le tout petit fauteuil.

– Juste comme il faut ! dit-elle d'un ton joyeux.

Mais elle était trop grande pour un fauteuil de bébé ours. Un pied se cassa et avec un terrible CRAC !

Boucle d'or tomba par terre.

– Quel ennui ! s'exclama-t-elle.
Et elle monta au premier étage.
Dans la chambre, elle trouva trois lits :
un grand, un moyen et un tout petit.
Elle essaya d'abord le grand lit.
– Trop dur !
Elle essaya alors le lit de taille moyenne.
– Trop mou !
Enfin, elle essaya le tout petit lit.
– Juste comme il faut ! dit-elle
d'un ton joyeux.
Elle s'y allongea, ramena les couvertures
sur elle et s'endormit très vite.
Entre-temps, les trois ours étaient revenus
de leur promenade et s'apprêtaient
à manger leur porridge.

Le gros grand ours regarda son bol
et dit de sa grosse voix en colère :

_Quelqu'un a mangé MON porridge !

L'ourse de taille moyenne regarda
également son bol et dit de sa voix
moyenne :

_Quelqu'un a mangé MON porridge !

Enfin, le bébé ours regarda son bol
et dit de sa petite voix de bébé :

_Quelqu'un a mangé
MON porridge !

et en plus, il l'a mangé
tout entier !

Alors, le gros grand ours regarda son fauteuil et dit de sa grosse voix :

_Quelqu'un s'est assis dans MON fauteuil !

À son tour, l'ourse de taille moyenne regarda son fauteuil et dit de sa voix moyenne :

_Quelqu'un s'est également assis dans MON fauteuil !

Le bébé ours regarda, lui aussi, son fauteuil et dit de sa petite voix de bébé :

_Quelqu'un s'est assis dans MON fauteuil !

et en plus, il l'a cassé en mille morceaux !

Les trois ours montèrent alors dans leur chambre. Le gros grand ours vit son lit défait et s'écria de sa grosse voix :

_Quelqu'un s'est couché dans MON lit !

L'ourse de taille moyenne regarda son propre lit et dit de sa voix moyenne :

_Quelqu'un s'est couché dans MON lit !

Le bébé ours, lui aussi, regarda son lit.

_Quelqu'un s'est couché
dans MON lit et en plus...

ELLE...
s'y trouve encore !

Boucle d'or se réveilla en sursaut.
Se voyant entourée de trois ours
en colère, elle eut vraiment très peur.

_Ahhhhhh !

Elle dévala l'escalier, sortit à toutes jambes
et ne s'arrêta de courir qu'en arrivant
chez elle. Et plus jamais elle ne mangea
le porridge de quelqu'un d'autre
sans lui avoir demandé la permission !

Clown

QUENTIN BLAKE

Crédits

Merci aux auteurs et illustrateurs qui ont eu l'obligeance de nous accorder l'autorisation de reproduire leur œuvre dans cette anthologie. Leur confiance nous honore et leur participation nous est précieuse.

Quel vilain rhino !, de Jeanne Willis et Tony Ross. Publié par Andersen Press Ltd, Londres. Titre original : *The Really Rude Rhino.* © Jeanne Willis 2006, pour le texte. © Tony Ross 2006, pour les illustrations. © Gallimard Jeunesse 2006, pour la traduction française. Traduction d'Anne Krief.
La belle lisse poire du prince de Motordu, de Pef. © Gallimard Jeunesse 1980.
Élisa et ses deux grand-mères, d'Elizabeth MacLennan et Sue Williams. Reproduit avec l'autorisation de Walker Books Ltd, Londres. Titre original : *Ellie and Granny Mac.* © Elizabeth MacLennan 2009, pour le texte. © Sue Williams 2009, pour les illustrations. © Gallimard Jeunesse 2011, pour la traduction française. Traduction d'Anne Krief.
Ursule la libellule, d'Antoon Krings. © Gallimard Jeunesse 1995.
Ma chère grand-mère est une sorcière, de Tracey Corderoy et Joe Berger. Publié avec l'accord de Nosy Crow Limited. Titre original : *Hubble Bubble Granny Trouble.* © Tracey Corderoy 2011, pour le texte. © Joe Berger 2011, pour les illustrations. © Gallimard Jeunesse 2012, pour la traduction française. Traduction d'Anne Krief.
Le rat scélérat, de Julia Donaldson et Axel Scheffler. Publié par Alison Green Books, un imprint de Scholastic Children's Books, Londres. Titre original : *The Highway Rat.* © Julia Donaldson 2011, pour le texte. © Axel Scheffler 2011, pour les illustrations. © Gallimard Jeunesse 2011, pour la traduction française. Traduction de Catherine Gibert.
Le Roi PapyPapy, d'Alex Sanders. © Gallimard Jeunesse 2010.
Qu'il est long, ce loup-là !, de Jean-François Ménard et Dorothée de Monfreid. © Gallimard Jeunesse 2010.
Sophie Canétang, de Beatrix Potter. Reproduit avec l'autorisation de Frederick Warne & Co., Ltd. Titre original : *The Tale of Jemima Puddle-Duck.* © Frederick Warne & Co., Ltd, 1908, 2002. © Gallimard Jeunesse 1980, pour la traduction française. Frederick Warne & Co est le propriérare des droits, copyrights et marques du nom et des personnages de Beatrix Potter.
Boucle d'or et les trois ours, de Tony Ross. Publié par Andersen Press Ltd, Londres. Extrait de l'album *Les 15 plus beaux contes pour les enfants*, qui rassemble les titres originaux suivants : *My First Nursery Stories* et *My Favourite Fairy Tales.* © Tony Ross 2008 et 2010, pour le texte et les illustrations. © Gallimard Jeunesse 2011, pour la traduction française. Traduction de Jean-François Ménard.
Clown, de Quentin Blake. Publié par Jonathan Cape Ltd, Londres. Titre original : *Clown.* © Quentin Blake 1995, pour les illustrations.

Malgré tous nos efforts, des erreurs ont pu se glisser dans ces crédits. Nous prions les éditeurs, auteurs, illustrateurs et leurs ayants droit de bien vouloir nous en excuser.

Dans la même collection

Les plus belles histoires pour les enfant de 3 ans

Les plus belles histoires pour les enfant de 4 ans

Les 25 plus belles histoires de Noël

Le Trésor de l'enfance

Les 30 plus belles histoires pour les tout-petits

Les 15 plus belles histoires pour les petites filles

Les 15 plus belles histoires pour les petits garçons

Les 15 plus belles histoires de princes et de princesses

Les 20 plus belles histoires à lire le soir

Les 20 plus belles histoires des papas et des mamans

Le grand livre de la petite princesse

Les 15 plus beaux contes pour les enfants

Le grand livre de contes de Gallimard Jeunesse

Les 40 plus belles comptines et chansons